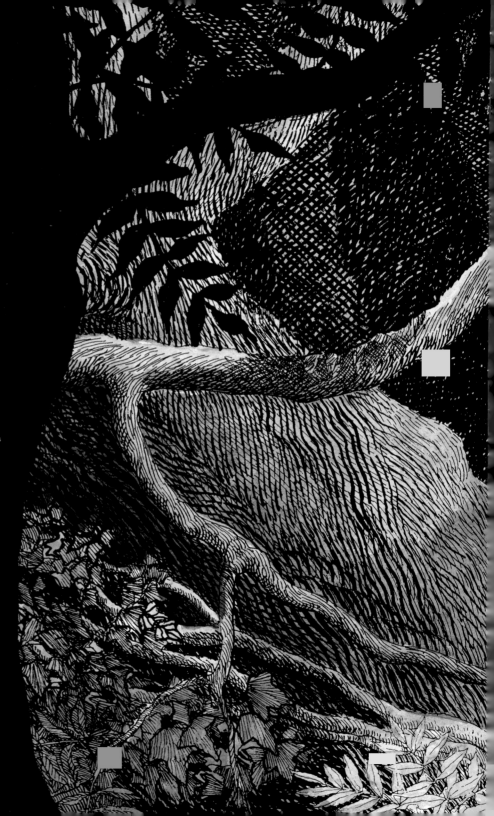

Do Hannah i fhèin.
M.W.

Do Georgie agus
Eddie Humley
P.B.

A' chiad fhoillseachadh sa Bheurla 1992 ann am Breatainn le Walker Books
87 Vauxhall Walk, Lunnainn, SE11 5HJ

© an teacsa Bheurla le Martin Waddell, 1992
© nan dealbhan le Patrick Benson, 1992

Tha Martin Waddell agus Patrick Benson a' dleasadh an còraichean a bhith
air aithneachadh mar ùghdar agus neach-deilbh na h-obrach seo.

A' chiad fhoillseachadh sa Ghàidhlig an 2015 le Acair Earranta
An Tosgan, Rathad Shiophoirt, Steòrnabhagh, Eilean Leòdhais HS1 2SD

info@acairbooks.com   www.acairbooks.com

© an teacsa Ghàidhlig Acair, 2015
An tionndadh Gàidhlig le Chrisella Ross
An dealbhachadh sa Ghàidhlig le Mairead Anna NicLeòid

Tha Acair a' faighinn taic bho Bhòrd na Gàidhlig.

Fhuair Urras Leabhraichean na h-Alba taic airgid bho Bhòrd na Gàidhlig
le foillseachadh nan leabhraichean Gàidhlig Bookbug.

Gheibhear clàr catalog CIP airson an leabhair seo ann an Leabharlann
Bhreatainn.

LAGE/ISBN 978-0-86152-588-1

Clò-bhuailte ann an Sìona

THA AN LEABHAR SEO LE:

_____

_____

_____

Iseanan
Caillich-Oidhche

Sgrìobhte le
Martin Waddell

Deilbh le
Patrick Benson

acair

Uair bha siud bha trì iseanan Caillich-oidhche ann.

B' iad Seabhag, Olcadan agus Còchag.

Bha iad a' fuireach ann an toll an

stoc-craoibhe còmhla rim màthair

Cailleach-oidhche.

Bha slatan, duilleagan agus itean

anns an toll.

B' e seo an dachaigh.

Aon oidhche nuair a dhuisg iad
bha a' Chailleach-oidhche air teiche!
"Càite bheil mamaidh?" thuirt Seabhag.
"Oh mo chreach!" arsa Olcadan.
"Tha mise ag iarraidh mamaidh!"
thuirt Còchag.

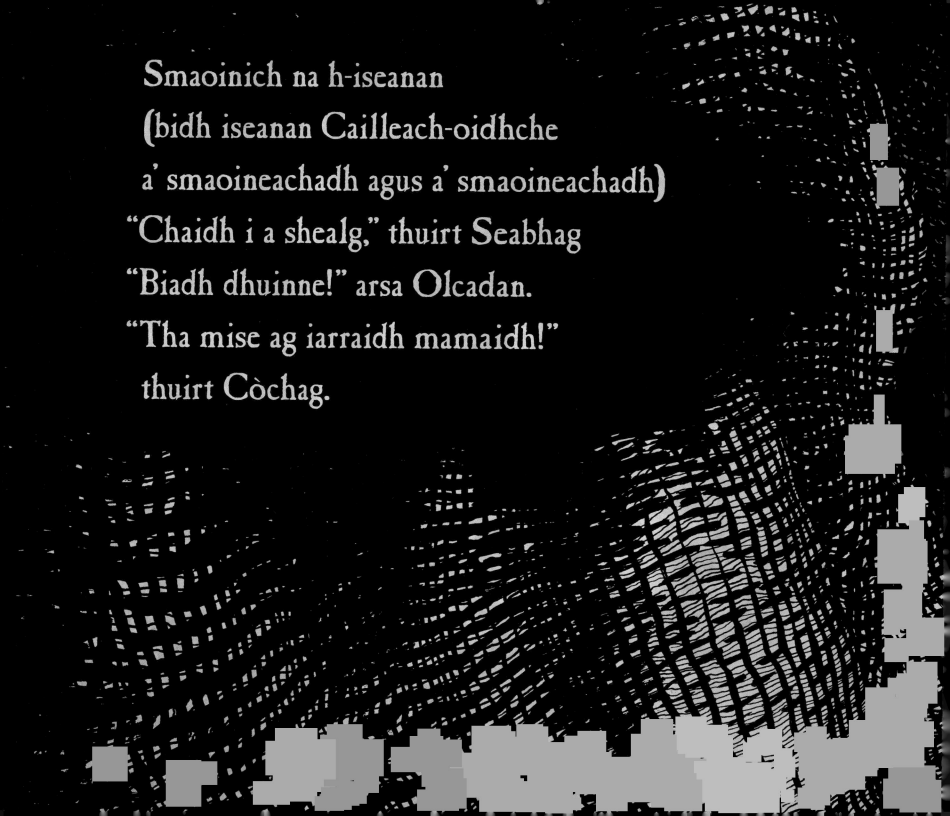

Smaoinich na h-iseanan
(bidh iseanan Cailleach-oidhche
a' smaoineachadh agus a' smaoineachadh)
"Chaidh i a shealg," thuirt Seabhag
"Biadh dhuinne!" arsa Olcadan.
"Tha mise ag iarraidh mamaidh!"
thuirt Còchag.

Ach cha do thill a' Chailleach-oidhche.
Thàinig na h-iseanan a-mach às an dachaigh
agus shuidh iad air craoibh
a' feitheamh.

Geug mhòr do Sheabhag,
geug bheag do dh'Olcadan
agus pìos duilleach dha Còchag.
"Tillidh i!" thuirt Seabhag
"A dh'aithghearr!" arsa Olcadan.
"Tha mise ag iarraidh mamaidh!"
thuirt Còchag.

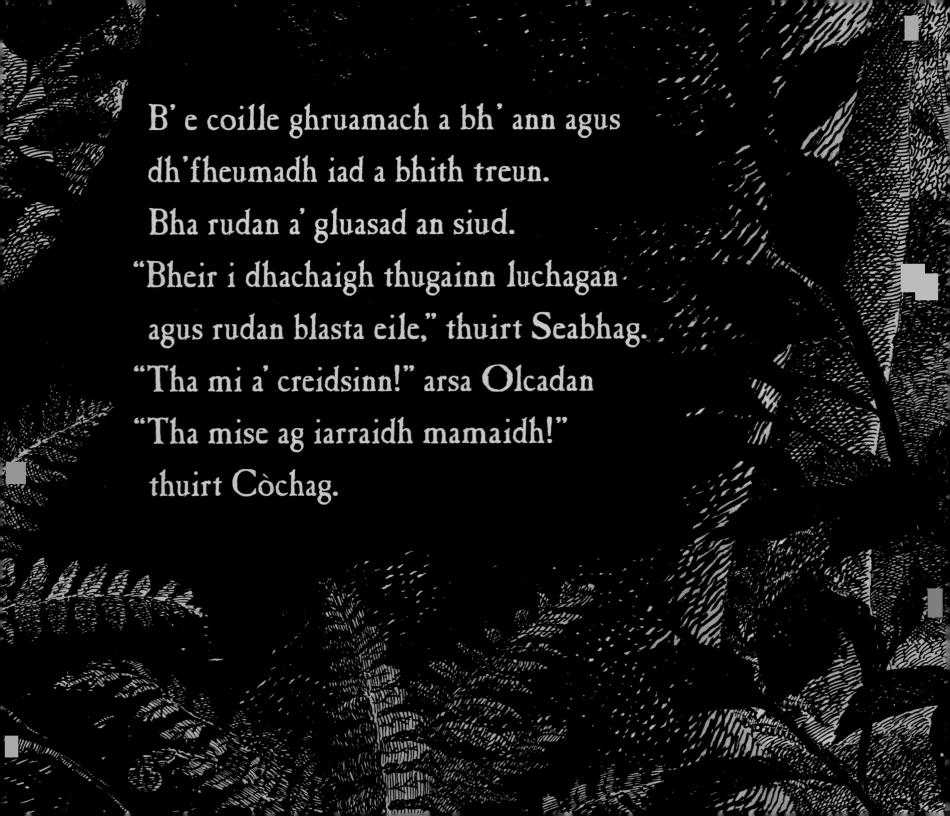

B' e coille ghruamach a bh' ann agus
dh'fheumadh iad a bhith treun.
Bha rudan a' gluasad an siud.
"Bheir i dhachaigh thugainn luchagan
agus rudan blasta eile," thuirt Seabhag.
"Tha mi a' creidsinn!" arsa Olcadan
"Tha mise ag iarraidh mamaidh!"
thuirt Còchag.

Shuidh iad agus smaoinich iad

(bidh iseanan a' smaoineachadh agus a' smaoineachadh)

"Nach suidh sinn uile

air a' gheug agamsa," arsa Seabhag

Agus shuidh iad

mar thriùir, còmhla.

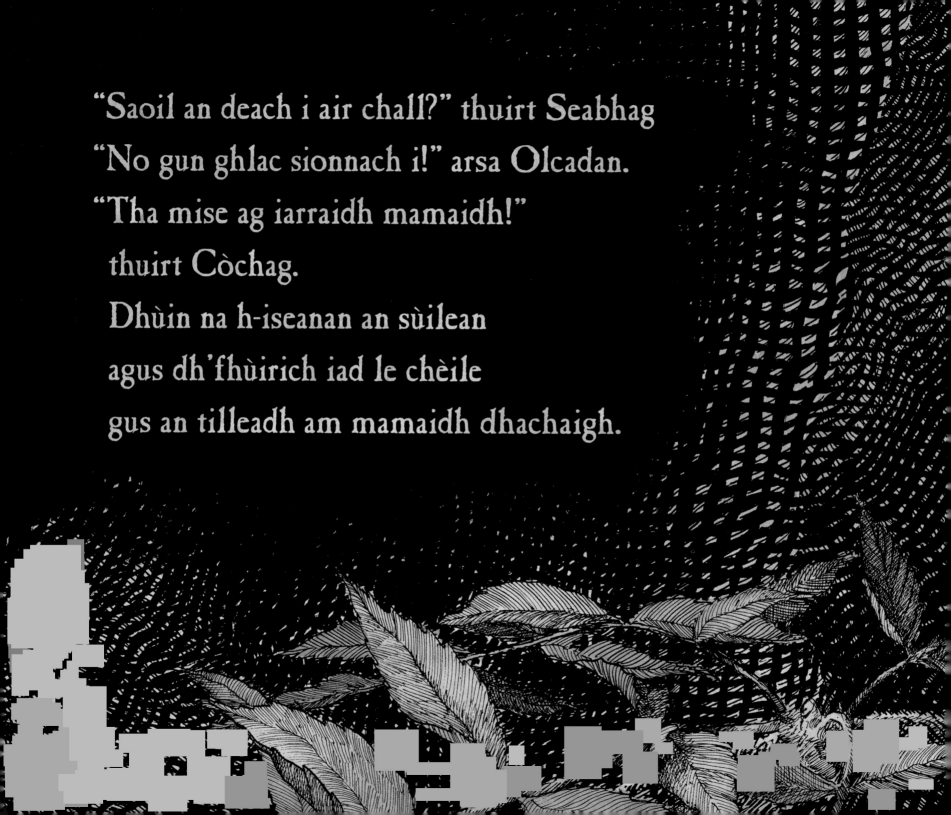

"Saoil an deach i air chall?" thuirt Seabhag

"No gun ghlac sionnach i!" arsa Olcadan.

"Tha mise ag iarraidh mamaidh!"
thuirt Còchag.

Dhùin na h-iseanan an sùilean
agus dh'fhùirich iad le chèile
gus an tilleadh am mamaidh dhachaigh.

AGUS THILL I.

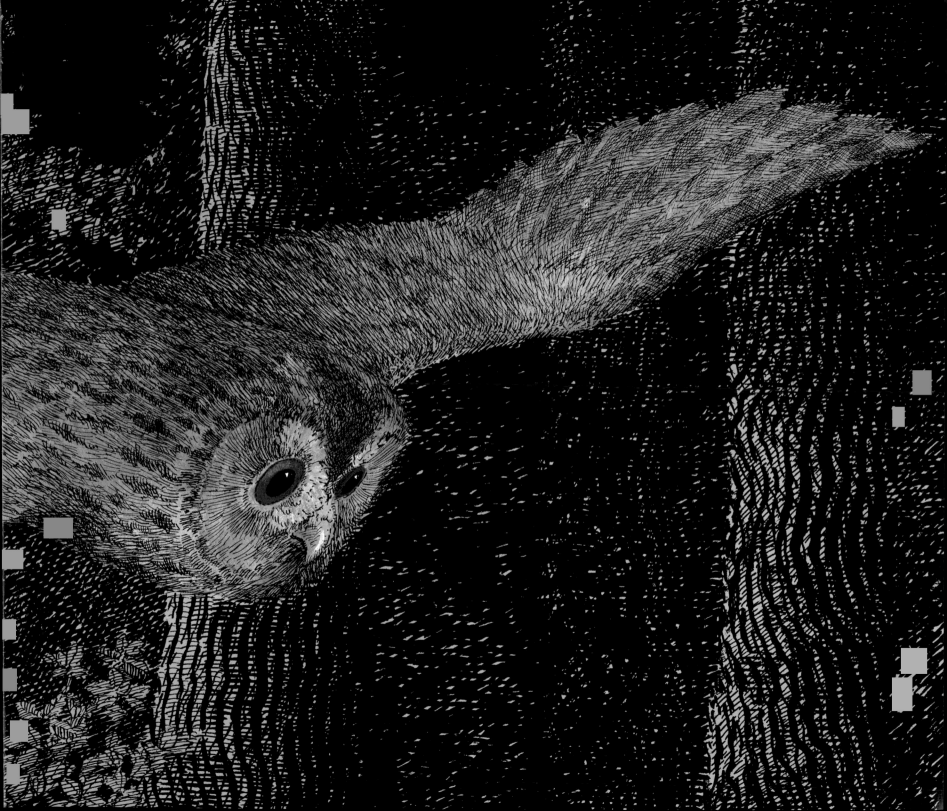

Socair agus sèimh, sgèith i
tron a' choille
gu Seabhag, Olcadan
agus Còchag.

"Mamaidh!" dh'eigh iad
agus chlap iad agus dhanns' iad
agus leum iad suas agus sìos
air a' gheug.

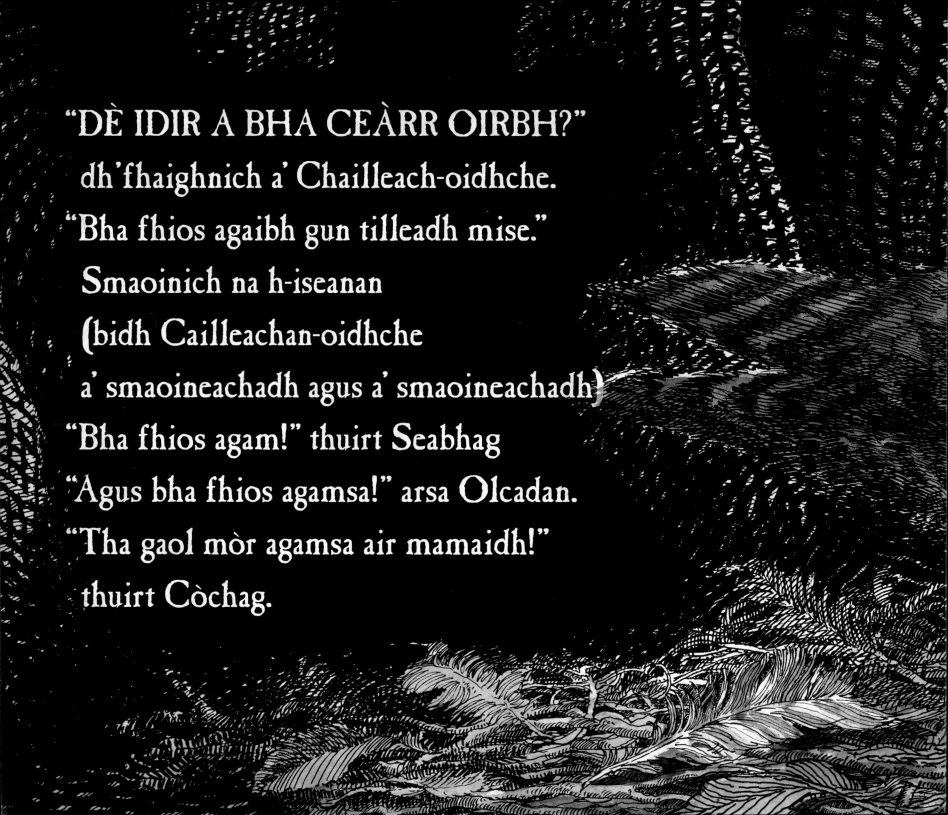

"DÈ IDIR A BHA CEÀRR OIRBH?"
dh'fhaighnich a' Chailleach-oidhche.
"Bha fhios agaibh gun tilleadh mise."
Smaoinich na h-iseanan
(bidh Cailleachan-oidhche
a' smaoineachadh agus a' smaoineachadh)
"Bha fhios agam!" thuirt Seabhag
"Agus bha fhios agamsa!" arsa Olcadan.
"Tha gaol mòr agamsa air mamaidh!"
thuirt Còchag.